AF370328

Der wirtschaftliche Charakter der technischen Arbeit.

Von

Dr. Friedrich v. Gottl-Ottlilienfeld,

o. Professor der Staatswissenschaften
an der Königlichen Technischen Hochschule in München.

Vortrag, gehalten im Polytechnischen Verein
in München am 8. November 1909.

Berlin.
Verlag von Julius Springer.
1910.

ISBN 978-3-642-89765-8   ISBN 978-3-642-91622-9 (eBook)
DOI 10.1007/978-3-642-91622-9
Softcover reprint of the hardcover 1st edition 1910
Universitäts-Buchdruckerei von Gustav Schade (Otto Francke), Berlin N.

I.

Die älteste Urkunde des Instituts der Zivilingenieure in London enthält den wohlbekannten Satz, daß der Beruf des Ingenieurs „in der Kunst bestehe, die großen Kraftquellen in der Natur zum Nutzen und Frommen des Menschen zu lenken". Eine ganz anders klingende Erläuterung des Ingenieurs sagt man dem Amerikaner von heute nach: ein Mann von wissenschaftlicher Erziehung und praktischer Fähigkeit, der für einen Dollar herzustellen weiß, was ein anderer kaum für zehn fertig bringt. Dort wäre der Ingenieur der Herrscher über die Naturgewalten, hier einfach der Virtuos in der Behandlung der Selbstkosten. Aber beide Erläuterungen, die pathetische wie die drastische, empfinden wir als richtig. Es entbehrt nicht des Anreizes, einer Sache auf den Grund zu gehen, die sich ohne inneren Widerspruch so ganz verschieden deuten läßt. Auch ist der Beruf des Ingenieurs heute mehr als sonst zur Diskussion gestellt, um gewisser Fragen willen, die nicht bloß als Standesfragen wichtig sind. So ist aller Anlaß geboten, sich auf die Eigenart dieses Berufes etwas eindringlicher zu besinnen, als es bisher gehalten wurde. Hierzu möchte ich nun vom sozialtheoretischen Standpunkt aus einen Beitrag liefern.

In der Tat wird mittelbar auch das berufliche Wirken des Ingenieurs zu unserem Gegenstande, weil es der klarste Repräsentant unseres eigentlichen Gegenstandes ist, der technischen Arbeit. Was ich als technische Arbeit ins Auge fasse, ist jene besondere Form des Arbeitens, welche den so Arbeitenden zum Techniker macht. Arbeit solcher Art leistet auch der Architekt, nur daß er als Techniker zugleich noch Künstler ist; leistet auch der technische Chemiker, ja auch der rationell verfahrende Landwirt. Aber der Ingenieur bleibt der repräsentative Träger jener technischen Arbeit, schon um seines

1*

bezeichnenden Namens willen. Auch fallen seine Werke gerade in ihrer Eigenschaft als technische Leistungen besonders ins Auge. An das Anschauliche dieser Werke, der Maschinen, Bahnen, Brücken usw. klammert sich die gewöhnliche Auffassung, sobald sie den Beruf des Ingenieurs sich zurechtlegt. Und wie sie erst vom Werk her zu einer Meinung über den Beruf, so käme sie erst vom Berufe her zu einer Ansicht darüber, was technische Arbeit sei. Sozialtheoretisch betrachtet, wie es der inneren Natur dieser Dinge gemäß ist, liegt der Sachverhalt gerade umgekehrt. Als das Primäre muß dann die spezifische Arbeit aufgefaßt werden, hier also die technische, im Sinne einer besonderen und für sich bestimmbaren Form des Arbeitens, die sich erst im Wege ihrer Verwachsung mit einer Person zum Berufe verdichtet. Sie selber stellt gleichsam eines der charakteristischen Bewegungsmomente dar, inmitten des großen dynamischen Systems, das wir Gesellschaft nennen. Daraufhin kommt einer solchen spezifischen Arbeit, gleich der technischen, auch ihr berufsbildender Wert zu. Ingenieur, Architekt und Chemiker, sie alle sind das, was sie sind, von Arbeits Gnaden; ausdrücklich als Träger einer spezifischen, eben der technischen Arbeit, sind sie insgesamt Techniker. Erst in zweiter Linie sondern sich ihre engeren Berufe voneinander, gemäß den verschiedenen Gebieten, auf denen sie technische Arbeit leisten; und dies bedingt zugleich die besondere Gattung ihrer Werke.

Aber wieso denn „ihre Werke"? Führt denn zum Beispiel eine Brücke restlos auf die berufliche Leistung des Ingenieurs, oder ein Palast restlos auf jene des Architekten zurück? Nun, tatsächlich beruht die Eigenart der technischen Arbeit vor allem darin, daß man ihr etwas als ihr Werk zurechnet, dessen Entstehung notwendig noch auf andere Arbeit zurückführt, sagen wir, auf Arbeit schlechthin. Diese Zurechnung ist jedermann geläufig, eben in der Form, daß man die Brücke als das Werk des Ingenieurs, den Palast als das Werk des Architekten ansieht. Aber man geht dem Sinn und der Richtigkeit dieser Zurechnung zu wenig nach, um sich genügend über die besondere Natur der Arbeit klar zu werden, die hier der Ingenieur oder Architekt, der Techniker also, von seiner Seite aus beisteuert. Selbst die Scheidung zwischen „planender",

„leitender" und „ausführender" Arbeit, die sich schon der rein
empirischen Betrachtung aufdrängen muß, selbst sie hat eher
noch mitgeholfen, jenen bedeutsamen Dualismus der Arbeit
zu verschleiern, der hier in der Sache unterliegt. Nur so war
es möglich, daß man die Bezeichnung „technische Arbeit" nicht
für die spezifische Berufsarbeit des Technikers vorbehielt;
man hat sie vielmehr nach dem Sprachgebrauche in Theorie
und Praxis so ziemlich auf alle Arbeit ausgedehnt, die innerhalb des Produktionsprozesses überhaupt geleistet wird, ja
auf den Prozeß selber. So hält es z. B. Max Kraft — in
seinem vierbändigen „System der technischen Arbeit" — der
selbst in der Leistung der Maschine oder gar im Röstprozeß der
Erze technische Arbeit erblickt. Es ist dann völlig gleichgültig,
wie man diese Bezeichnung näher zu erläutern sucht; der Fehler
läßt sich nicht mehr gut machen, und die fehlerhafte Be-
nennung zieht auch die Sache in Mitleidenschaft. Wer so
ziemlich alles als technische Arbeit ansieht, was innerhalb der
Produktion vorgeht, versperrt sich selber die Einsicht in das
charakteristische Verhältnis, in das zu aller übrigen
Arbeit eine besondere Arbeit tritt; jene nämlich, die
sich eben als „technische" aussondern läßt, weil sie es ist,
die überhaupt erst den Techniker ausmacht. Zugleich ver-
schließt man sich dadurch aller tieferen Einsicht in die Natur
des technischen Berufs und so auch in die Natur der technischen Leistung, die gerade darin beruht, daß jener Dualismus
der Arbeit vorwaltet. Auch der tiefere Sinn der erwähnten
Zurechnung bleibt dann verschlossen, so nahe es liegt, daß
wohl das Werk zunächst auf Arbeit schlechthin zurückführt,
diese aber erst noch auf technische Arbeit, und zwar in solcher
Weise, um jene Zurechnung sachlich zu rechtfertigen.

II.

Es erhellt schon aus dieser notgedrungenen Polemik,
daß sich das Wesen der technischen Arbeit aus nichts anderem
herleitet als aus ihrem Verhältnis zur übrigen Arbeit im
Rahmen der nämlichen Leistung. Aber wie verzerrt stellt sich
selbst vor einem sachkundigen Blick dieses entscheidende Ver-

hältnis dar, sobald man von jener unheilvollen Auffassung ausgeht.
Max Kraft, der von technischer Arbeit in jenem schier ufer-
los erweiterten Sinne spricht, liefert dafür ein Beispiel. Er
weiß die Arbeit des Ingenieurs nach ihrem Verhältnis zur
übrigen Arbeit bloß als eine „geistige Vorarbeit" zu kenn-
zeichnen. Damit ist aber der rechten Auffassung schon das
Rückgrat gebrochen. Freilich geht die technische Arbeit,
wenigstens zu einem guten Teile, der Zeit nach voran. Eine
Vorarbeit aber darf man sie genau so wenig nennen, bei
Strafe ihrer völligen Verkennung, als etwa der keimende Same
eine Vorarbeit der aufwachsenden Pflanze wäre. Alle Vorarbeit
rennt sich an einem Effekte tot, bei dem die eigentliche Arbeit
erst einsetzt. Das ist aber das Eigene der technischen Arbeit,
daß sie lebendig bleibt bis zum letzten Handgriff aller Arbeit,
daß sie auch diesen noch geistig umklammert hält; sie tut es
kraft ihres Wesens, als tätiges Gestalten, als das Formen
aller übrigen Arbeit. Technische Arbeit ist nicht schlechtweg eine Arbeit um der Arbeit willen, sondern im wesent-
lichen Sinne ein Arbeiten an der Arbeit. Fast buchstäblich
darf sie als Arbeit zweiter Potenz gelten; geschweige, daß sie
bloß Vorarbeit wäre, ist sie eher so etwas wie „Überarbeit".
Mag man also immerhin das Werk, zum Beispiel die Brücke,
zunächst auf die Arbeit schlechthin zurückführen und dieser
zurechnen: gewiß nicht der Arbeit als einer blinden und form-
losen Kraftleistung ist das Werk zurechenbar. Die Zurechnung
setzt vielmehr eine ganz bestimmte Gestaltung der Arbeit
voraus, bei der man auf das Werk absieht. Gerade nun in dieser
Hinsicht greift die technische Arbeit ein, als das tätige Formen
aller übrigen Arbeit. So rechtfertigt es sich, daß man das
Werk in letzter und entscheidender Linie der technischen
Arbeit zurechnet.

Um nun diesen Dualismus der Arbeit etwas tiefer zu er-
gründen, greifen wir nach dem Element der Gesellschaft zurück,
nach der einzelnen Handlung; ich sage mit Vorbedacht:
Element der Gesellschaft, und nicht etwa des Gesellschafts-
lebens, denn die Gesellschaft hat kein Leben, sie ist Leben.
Aber vermag man überhaupt an der einzelnen Handlung das
Wesen einer Arbeit zu studieren? Arbeit schließt ja umgekehrt
schon viele Handlungen in sich, ist selber eine zeitfüllend

stetige Handlungsfolge, die sich in einer bestimmten Zweckrichtung fortbewegt, gleich einem Strome, wie sie auch tatsächlich von einem festen Bett getroffener Vorkehrungen umrahmt wird. Allein gerade darin spiegelt sich die elementare Bedeutung der technischen Arbeit, daß sich ihr grundlegendes Verhältnis schon am Element des Sozialen, an der einzelnen Handlung, wenigstens im Keime nachweisen läßt.

Legen wir uns also die einzelne Handlung zurecht, und bloß in jener schlichten Weise, wie es der Handelnde selber tut, also pragmatisch. Dann liegt ein Zweck vor, ein Unwirkliches, das man zu verwirklichen strebt. Sagen wir, man will sich eine Zigarre anzünden. Die Zigarre glimmt nicht, das ist das Unwirkliche, aber sie soll glimmen, damit erscheint das Glimmen als der Zweck. Was geschieht nun? Man geht in sich, fragt sich nach den Bedingungen, an welche das Erstrebte, das Glimmen, erfahrungsmäßig gebunden ist. In unserem Beispiele ist diese Bemühung kaum der Rede wert. Immerhin, ganz so, wie dieses „bei sich selber zu Rate gehen", dieses „in sich hinein sinnen", dieses „s'ingénier" die sprachliche Wurzel des Wortes „Ingenieur" darstellt, so handelt es sich auch in der Sache um das zwar noch kaum bemerkliche und doch absolut unverkennbare Keimblättchen der technischen Arbeit. Denn was ersinnt man denn dabei? Was man zu tun hat, um das Unwirkliche zu realisieren. Man beginnt also sein eigen Tun zu formen, kurz, hier wurzelt das Arbeiten an der Arbeit. Wie verfährt man aber dabei? Nun, es sind immer gleich mehrere Bedingungen, die alle erst zutreffen müssen, gleich eine ganze Reihe. Um das Glimmen zu erzielen, muß ich eine Flamme einziehen, aber dazu muß ich die Zigarre vorerst abgeschnitten haben, eine Flamme muß vorhanden sein, das Einziehen vollzogen werden. Sie sehen, wie man selbst bei dieser schlichten Handlung, die kaum mehr als ein Handgriff zu sein scheint, ein ganzes und wohlgeordnetes System der Tätigkeiten herauszuarbeiten hat, nach Maßgabe des Spiels der Bedingungen. Zuerst das und das, dann jenes, schließlich noch eins. So formt man das Tun, das hier die Arbeit schlechthin repräsentiert. Und so wenig ist selbst dieser armselige Ansatz zu technischer Arbeit bloß eine Vorarbeit, daß umgekehrt er es ist, was alle übrige Arbeit in eitel Vorarbeit auflöst, in ein ganzes System von Vorarbeiten, bis zum Anlegen der letzten Hand.

Dieses System von Vorarbeiten, die wohlgeordnete Anreihung alles erforderlichen Tuns, muß man wohl den W e g z u m Z w e c k e nennen; es ist dies das ausgebaute System der Mittel, der aktiven sowohl, der Tätigkeiten und Verfügungen nämlich, wie auch der passiven, der Geräte, Einrichtungen usw. Nun hängt wohl mit dem verwirklichten Zweck der begangene Weg absolut starr zusammen, in kausaler Folge; aber zum Zweck als dem noch Unwirklichen, da führen gar viele, eigentlich unbegrenzt viele Wege. So auch in unserem Beispiele. Bedarf es etwa zum Anzünden der Zigarre unbedingt jener kleinen fiskalischen Nadelstiche, der Zündhölzer? Ist nicht die Herdflamme oder ein brennendes Licht da, gibt es nicht alle möglichen chemischen, physikalischen, elektrischen Zündapparate, vor allem jenen „ethischen" Zündapparat, die in nie wankender Liebe niemals versagte Zigarre des Nächsten? Oder könnte man nicht die Zigarre durch eine wahnsinnig rasche Reibung am Fensterglas. zum Glimmen bringen? Es gibt überhaupt nichts, was nicht so oder so herum den Zweck erreichen ließe; z. B. auch durch Begießen mit Wasser wäre es denkbar, ich brauche ja bloß ein Stückchen Kalium auf das Zigarrenende zu legen; die Zigarre kohlt dann wohl, aber sie glimmt.

Hier ergibt sich der ebenso naheliegende als wichtige Einblick, daß ich beim tätigen Formen meines Handelns, sofern ich nicht überstürzt oder achtlos handle und einfach das Nächste das Beste sein lasse, zu einer W a h l gezwungen bin. So ersteht das Problem des R e c h t e n W e g e s zum Zweck. Aber wie ihn finden, der seinem Sinn nach der Einzige ist unter den vielen, ja zahllosen möglichen Wegen? Sehr oft entscheidet da der Grad, in welchem der Zweck erreichbar scheint; sagen wir, es entscheidet der winkende Erfolg am Zweck. Nichts liegt so nahe, als daß man unter mehreren Wegen zum Zweck, die alle gangbar sind, jenen als den Rechten ansieht, der die beste Erfüllung des Zweckes selber verspricht, also den höchsten Erfolg am Zweck. Aber es werden bei solcher Entscheidung Fälle übrig bleiben, in denen die Wahl gleichsam „steht"; und vielleicht tritt dieser Fall, bei dem das

naheliegendste Kriterium der Wahl versagt, sogar notwendig
ein, als das grundsätzliche Verhältnis, das sich nur gelegentlich
verschleiert. Was nun? Die Antwort auf diese für uns wichtigste
Frage muß ich mir noch vorbehalten. Jedenfalls sind wir in
den Inhalt des Arbeitens an der Arbeit tiefer eingedrungen,
haben eine sachliche Formel dafür gefunden: die tätige
Sorge um den Rechten Weg zum Zweck. Damit ist uns
offenbar ein Grundzug des Wesens der technischen Arbeit klar
geworden, aber nebenbei auch ihr Name!

„Technik" hängt seinem Wortsinn nach mit „Kunst" zusammen, Kunst jedoch in dem hausbackenen Sinn dieses Aus-
drucks gemeint, als Vergegenständlichung des Könnens. Etwas
können heißt in der Lage sein, dieses „etwas" zu verwirklichen.
Verwirklicht werden aber Zwecke, und so heißt können soviel
als den Weg zum Zweck beherrschen. Kunst besagt aber
noch eine innerliche Steigerung des Könnens; das nämlich besagt Kunst, daß man nicht einfach einen Weg, sondern ausdrücklich den Rechten Weg zum Zwecke beherrscht; es ist
das optimale Können. So gelangen wir zur allgemeinsten und
zugleich prinzipiellsten Erläuterung der Technik: Technik
ist die Kunst des Rechten Weges zum Zweck. Streng
genommen ist diese Formel tautologisch, aber die Tautologie
ist eine zulässige, weil sie den Wert einer erläuternden Auf-
lösung hat. So erscheint auch das Arbeiten an der Arbeit termino-
logisch zutreffend als „technische" Arbeit bezeichnet, weil es
seinem Gehalt nach nichts anderes ist als die tätige Sorge um
den Rechten Weg zum Zweck.

III.

Als Kunst des Rechten Weges zum Zweck ist die Technik
in zwei Spielarten vorhanden, die sich aber gerade in der
Wirklichkeit bei weitem nicht so scharf voneinander sondern,
wie bei der begrifflichen Scheidung, zu der wir hier gezwungen
sind. Mit der einen Spielart, sagen wir mit der empirischen
Technik, hat die technische Arbeit nichts zu schaffen; beide
schließen einander geradezu aus. Technische Arbeit ist ja
tätige Sorge um den Rechten Weg zum Zweck, die empirische

Technik aber ist ruhender Besitz des Rechten Weges zum
Zweck, ist mit der Arbeit selber, der dieser Besitz zugute-
kommt, gleichsam verwachsen. So bleibt neben der empirischen Technik, oder eigentlich neben der Arbeit, die von ihr
getragen wird, kein Spielraum für technische Arbeit. Aber
woher stammt dann jener ruhende Besitz? Nun, auch hier liegt
notwendig ein Wissen um die Bedingungen zugrunde, an
welche die Zweckerfüllung gebunden ist. Aber dieses Wissen
nimmt seinen Ursprung nicht außerhalb der Arbeit, nicht etwa
in einer großen Wissensquelle, aus der alle Arbeit gemeinsam
schöpft. Hier ist vielmehr das optimale Können auf dem Boden
der betreffenden Arbeit selber erwachsen, ist dort bodenständig
als Frucht der Arbeitserfahrung. Diese empirische Technik
entspricht also der Selbstvervollkommnung der Arbeit.
Sie kennt als Träger nur den Meister der Arbeit schlechthin,
keinen technisch Arbeitenden. Sie kann auch bloß im Milieu
der Arbeit erworben werden. Soweit sie lehrhaft ist, geht sie
als Arbeitsgeheimnis vom Meister zum Lehrling, in mündlicher
Tradition, aber Übung und Begabung müssen da notwendig
hinzuhelfen.

Ich habe mit Absicht nur von „Bedingungen" gesprochen,
an welche die Zweckerfüllung gebunden ist, nicht von Ursachen oder Kausalbeziehungen. Natürlich liegen diese auch
hier zugrunde, aber sie werden nicht als solche erfaßt. Bei
der empirischen Technik ist das immer unentbehrliche Denken
über die Zusammenhänge innerhalb der Arbeit noch nicht frei
gekommen von der Arbeit. Eben darum hat sich auch die
technische Arbeit noch nicht abgespalten, sie verliert sich noch
inmitten der Arbeit schlechthin. An Stelle eines Arbeitens an
der Arbeit ist bloß ein Sich-selber-Ausarbeiten der Arbeit da,
und dieser Prozeß ist mit dem Sich-selber-Einarbeiten des Ar-
beiters noch untrennbar verknüpft. Die Selbstvervollkommnung
geht eben mehr den Weg der Handgriffe, die die Meisterschaft
ausmachen. Dazu bedarf es aber keiner Kausalerkenntnis.
Darum sehen wir die empirische Technik auf einer hohen
Stufe selbst bei Völkern, die in Ursachen gar nicht zu denken
wüßten, wie es nach dem Zeugnis ihrer besten Kenner zum
Beispiel für die Chinesen zutrifft. Sie besitzen eine hoch-
ausgebildete Technik in vielem; aber diese Technik schmachtet

in den Fesseln der Arbeit, entbehrt der Eigenbewegung, daher wir auch bei den Chinesen nicht gut von einem technischen Fortschritt reden könnten; nur die Selbstvervollkommnung der Arbeit spinnt sich langsam fort, oder sie geht auch zurück. So sehr haftet hier die Technik noch an der Arbeit und damit an der Person der Arbeitenden, daß sie jederzeit vom Aussterben bedroht bleibt.

Selbst jenes Auf und Nieder der empirischen Technik hat seinen eigenen charakteristischen Maßstab. Weil die einzelne fachliche Arbeit hier nicht über sich hinausblickt, fehlt ihr der rechte Maßstab, um sich selber zu beurteilen. Sie mißt sich eigentlich bloß an ihrem Werke. Darum gilt auch dem Werke hier aller Drang, alle Mühe des „Bessermachens", und so steigert sich vom Werke her die Arbeit zu einer richtigen Kunstübung, auch im höheren Sinne des Wortes. Zwar hängt es von der Natur des Arbeitszweckes ab, in welchem Grade sich diese künstlerische Tendenz der empirischen Technik auswirken kann. Dennoch wird man sagen dürfen, alle empirische Technik schließt ein werkselig Arbeiten in sich; während die moderne Technik, vorgreifend gesagt, mehr ein vollzugseliges Arbeiten mit sich bringt, ein methodisches. In der Tat, so sehr wir die Werke der empirischen Technik bewundern, wie oft müssen wir nicht über die armseligen, die wahrhaft primitiven Arbeitsmethoden staunen. Nicht in den Werken, aber im Vollzuge der Arbeit sind wir unseren Voreltern im Prinzipe voraus. Hier spielt übrigens die Zweideutigkeit dessen herein, was wir „technisch vollendet" nennen. Technisch vollendet ist im allgemeinen das, was man nicht anders machen kann, ohne es schlechter zu machen; es ist tatsächlich die Klassizität im Bereiche der Arbeit. Dabei aber kann man das Werk, oder kann auch den Vollzug der Arbeit im Auge haben. Auf diesen Unterschied geht am letzten Ende wohl auch der Sinn der feinen Beobachtung Emanuel Herrmanns zurück, wenn er die Tugend der empirischen Technik in der „Akkuratesse", die Tugend der modernen Technik in der „Exaktheit" der Arbeit erblickt.

Diese empirische Technik ist ursprünglicher und auch umfassender als die moderne Technik. Ursprünglicher, weil sie ja nichts als die Arbeit selber voraussetzt; und darum auch umfassender, weil sie überall ist, wo Arbeit vollzogen wird. Seine Technik in diesem Sinne hat einfach alles, vom Verkehre bis zum Räuspern, vom Regieren bis zum Stehlen. In der Tat, selbst die Herren „Einbruchsingenieure“, die sonst doch auf dem Boden der modernsten Technik stehen, haben ihre empirische Technik. Um aber nicht an ein so anrüchiges Beispiel eine wichtige Feststellung zu knüpfen — daß nämlich gleich dieser „antisozialen“ Arbeit jegliche Arbeit überhaupt von empirischer Technik unzertrennlich ist — verweise ich mit Nachdruck darauf, in welch wesentlichem Sinne auf allen Gebieten der modernen Technik, zum Beispiel im Maschinenbau, auch empirische Technik sich behauptet. Es ist eine der schiefsten unter den landläufigen Ansichten in der Theorie, daß die empirische Technik von der modernen schlechthin „abgelöst“, also verdrängt würde. So wuchtig auch die moderne Technik eingreift in die Welt der Arbeit, indem sie neue Wege bahnt zu alten Zielen und neue erreichbar macht: die Arbeit selber fällt doch abermals der empirischen Technik anheim, und gewiß nur zu ihrem Heile. Wie könnte auch jemals die Menschheit auf das köstliche Gut ihrer Arbeitserfahrung, auf die köstlichere Frucht, die Selbstvervollkommnung der Arbeit, verzichten! Die moderne Technik ist immer nur eine glorreiche Zutat zur empirischen Technik, welche darüber zwar ihre Formen wandelt, nicht aber ihren segensvollen Sinn. Alles, was die moderne Technik ersinnt, die empirische Technik baut daran weiter; nicht etwa, daß sie es bloß „erprobt“, sie bildet es fort zu höherer Vollkommenheit. Geschweige also, daß die moderne Technik die empirische verdrängt, hat sie für diese eher den Sinn eines genialen Unterbaues; sie unterfängt sie gleich einer mächtigen Stützmauer, um gemeinsam mit ihr die Arbeit zu tragen.

Es sind nicht bloß die sogenannten Arbeiter-Erfindungen, auf die man hinweisen kann als auf etwas, das auch heute noch in der Arbeit selber bodenständig ist. Einzelereignisse verschwinden da überhaupt gegenüber der breiten Alltäglichkeit jenes Prozesses, der sich auf allen Arbeitsstätten der modernen Technik unablässig abspielt: die Perfektionierung der Arbeit durch die Arbeit. Nichts ist hierfür bezeichnender als der Stolz des amerikanischen Fabrikanten auf die verbessernden Vorrichtungen, die er an seinen Maschinen anbringt; diese „attachements" sind die echten Kinder der Arbeitserfahrung. Durch sie werden die Maschinen, die ursprünglich das streng Generelle sind, einander bis zur Auswechselbarkeit aller ihrer Teile gleichen, an jeder Arbeitsstätte zu etwas Individuellem, angepaßt den ganz besonderen Verhältnissen des Betriebes; und mit Recht hütet der Fabrikant diese Individualität, die sich erst im Vollzuge der Arbeit herausgestaltet, als das Geheimnis seiner Produktionserfolge.

Wehe überhaupt, wenn dieses lebendige Wechselverhältnis zwischen der modernen Technik und der ihr gemäßen empirischen Technik irgendwo aussetzt. Das Ergebnis ist dann unvermeidlich so etwas wie „papierener" Technik. So drängt sich zum Beispiel dieser Eindruck „papierener" Technik unwillkürlich auf, wenn man die an sich so genialen Konstruktionen Josef v. Baaders nachsinnlich durchgeht, seine aus dem Anfang der zwanziger Jahre das vorigen Jahrhunderts stammenden Entwürfe zu einer Eisenbahn, die grundsätzlich die schiefe Ebene und den Seilzug verwertet und den Übergang des Fahrzeuges von der Spur auf die offene Straße freihält. Wieviel Ingenium ist da fruchtlos verdorrt, weil ihm die rechtzeitige Überpflanzung auf den Mutterboden der empirischen Technik versagt blieb. Auch hier hätte der Umsatz in lebendige Arbeit nicht einfach den Erfolg gehabt, das Konstruierte in seiner Durchführung und gegenüber dem praktischen Bedürfnis zu erproben, sondern auch den wichtigeren Erfolg, das Entwicklungsfähige daran weiterzubilden, um den Anschluß zu finden an die Forderungen der Realität und dadurch erst zur eigentlichen Lösung zu gelangen.

IV.

Leider ist es in diesem Zusammenhang nicht möglich, die reizvollen Beziehungen zwischen empirischer und moderner Technik weiter zu verfolgen. Nicht einmal die historische Entwicklung läßt sich hier skizzieren, die von den vielen „Techniken" empirischer Natur, von diesem Streubesitz der Kultur aus, auf großen Umwegen hinführt zur Einen, zur „rationellen" Technik, als einer gewaltigen Kulturmacht.

Für den Unterschied zwischen empirischer und moderner Technik hat Sombart mit vollem Recht auf den Gegensatz zwischen Wissen und Können hingewiesen; nur daß er diesen Gegensatz viel zu schroff hervorkehrte, um nicht berechtigte Einwände herauszufordern, wie besonders jene W. v. Oechelhäuser's. Ebensowenig als die moderne Technik ein an der Arbeit haftendes Können, ist sie ein bloßes Wissen. Wohl hängen innig und untrennbar mit ihr die technischen Wissenschaften zusammen; aber schon diese schlagen jene Brücke zwischen Wissen und Arbeit, die doch nur wieder von einem Können beschritten wird, in Gestalt der technischen Arbeit. Und erst die Träger der technischen Arbeit — wozu auch jeder Forscher in technischer Wissenschaft aus sachlichem Zwange gehört — also doch wieder Subjekte eines Könnens, sie sind zugleich die Träger der modernen Technik.

Besonders in drei Punkten sondert sich die moderne scharf von der empirischen Technik. Erstens entspringt sie nicht der Arbeitserfahrung selber, so außerordentlich befruchtend und bereichernd diese auch auf sie zurückwirkt. Im Prinzipe entspringt sie jener in hohem Maße geläuterten Erfahrung, die gleichsam als Wissenschaft zusammenfließt, zur mathematisch durchgebildeten Naturwissenschaft wird. Aus dieser mächtigen Quelle schöpft sie Erkenntnis über die Zusammenhänge innerhalb aller Arbeit, belehrt sich über die Bedingungen des Arbeitserfolges. Da es mindestens ein nach Einheit Ringendes ist, unsere naturwissenschaftliche Kausalerkenntnis, woraus die Technik einheitlich ausstrahlt, bei aller Fülle und Mannigfaltigkeit ihrer Gebiete, so erscheint sie selber als eine große reale Einheit. Mit dieser Kausalerkenntnis als oberster „ratio", wird die Technik zu einer „rationellen"; sie begnügt sich grundsätzlich nicht, das beim Arbeiten Erfahrene auf die Arbeit anzuwenden, sie leitet ihr Formen der Arbeit womöglich von den letzten Erfahrungssätzen her, den Naturgesetzen. Unter solchen Umständen ist die moderne Technik endlich auch kein ruhender Besitz, sondern etwas durch und durch Aktives; dem Äußeren nach betrachtet, ist sie einfach das Ganze der technischen Arbeit. In ihrem inneren Wesen aber ist die moderne Technik die auf Kausalerkenntnis fundierte und an der Arbeitserfahrung weitergebildete

Kunst der rechten Arbeitsführung; wobei die rechte Arbeitsführung natürlich nichts ist als die tätige Sorge um den Rechten Weg zum Zwecke.

Damit ist uns zugleich die technische Arbeit ganz durchsichtig geworden. Wir verstehen jetzt, in welchem Geiste sie ein tätiges Formen, ein Arbeiten an der Arbeit ist. Keineswegs so, daß sich einfach die Vorgänge beträchtlich gesteigert hätten, die innerhalb der empirischen Technik zur Selbstvervollkommnung der Arbeit zusammenspielen. Es setzt sich ein ganz spezifischer Unterschied durch; denn selbst der vollendete Arbeiter der empirischen Technik, der Meister seines Fachs, ist im Grundsatze noch keinerlei Annäherung an den technisch Arbeitenden im modernen Sinne. Ein Beispiel soll dies besser hervortreten lassen. Auch der meisterliche Lederarbeiter der empirischen Technik hat beim Arbeiten nach einem Bessermachen getrachtet. Aber sein Erfahrungsgebiet war eben rein nur die Lederarbeit; es war Inzucht der Erfahrung im Gange. Das Leder war ihm schlechthin „der" Stoff, seine Bearbeitung schlechthin „die" Arbeit. Über die Zusammenhänge seiner Arbeit wußte er mehr nur in Handgriffen zu denken, als den Bedingungen seines Arbeitserfolges; wie er überhaupt den ganzen Arbeitsgang nur aus dem Gesichtspunkte der höheren Vollendung des Werkes zu beurteilen vermochte, so daß sich die Arbeit vornehmlich in ihrem Werke vervollkommnete. Mit einem Schlage ändert sich da alles, sobald jemand hinzutritt, auch in der Absicht des Bessermachens, dem aber das Leder nur „ein" Stoff ist von den und jenen technologischen, am letzten Ende physiologischen, physikalischen und chemischen Eigenschaften; dem Lederschnitt und Lederglätten nicht „die" Arbeit sind, sondern auch nur eine unter den zahllosen Arbeiten, die er insgesamt auffaßt als mechanische Vorgänge dieser und jener Art; der eben nicht in Handgriffen denkt, sondern in Kausalbeziehungen, der also den Arbeitszusammenhang nicht der Arbeit ablauscht, sondern ihn, vom gesetzten Arbeitserfolg zurück, als Kausalzusammenhang aufrollt, und der nun alle Möglichkeiten dieser Aufrollung auch in ihrer eigenen Natur zu beurteilen vermag, so daß er die Arbeit auch um ihretwillen, nicht bloß in ihrem Werke zu vervollkommnen weiß Dessen Arbeiten hebt sich dann auch deutlich von der Arbeit ab, die er bloß zu formen sucht. Er selber ist nicht der zu formenden Arbeit zugehörig, ist Teilarbeiter einer anderen, großen Einheit, der Technik im modernen Sinne. Sein Arbeiten an der Arbeit hat von Haus aus etwas Gewerbsmäßiges, es muß darum berufsbildend werden. Entscheidend aber für den ganzen Umschwung, der die technische Arbeit geboren hat, ist letzten Endes doch jener stete, ganz grundsätzliche Rückbezug auf die naturwissenschaftliche Kausalerkenntnis. An die Stelle einer empirischen Kasuistik der Arbeitszusammenhänge ist eben das Prinzip der modernen Technik getreten: die fortschreitende Interpretation der Kausalerkenntnis zu Arbeits Gunsten!

Der Wirkungskreis der technischen Arbeit wird uns klarer, sobald wir ihrer Phasen achten. Ausgehend von der Erfassung der Arbeitszwecke, also der Probleme, daneben auch von der Beobachtung der empirischen Lösungen, kommt es erstens zur Interpretation der Kausalerkenntnis, aus dem Gesichtspunkte der rechten Arbeitsführung. Hier vermählt sich die technische Arbeit der technischen Forschung, die der ersteren jene Interpretation vorweg abzunehmen sucht, indem sie gemäß der Fragestellung der Praxis nach brauchbaren Kausalformeln trachtet. Mit deren Hilfe vollzieht sich dann die Ermittlung des Kausalzusammenhangs, der als der Rechte Weg zum Zwecke erkannt wird. Aber dieser Rechte Weg will nicht bloß gesucht und gefunden sein, er soll auch richtig begangen werden. Dies ergibt gleich zwei weitere Phasen. Es liegt dieser Doppelsinn, einerseits den Rechten Weg finden und andererseits die Arbeit ihm entlang leiten, schon im Begriffe der tätigen Sorge, die sich in der technischen Arbeit auslebt. Weiß doch selbst die empirische Betrachtung neben der ausführenden Arbeit zwischen planender und leitender Arbeit zu sondern. Aber wie schon die erste, entgeht dieser empirischen Betrachtung auch die vierte Phase der technischen Arbeit. Da handelt es sich darum, die Lehren aus der Praxis des Arbeitsvollzugs zu verstehen und zu nutzen. Es kommt hier zu einer Art Rückstauung der technischen Erkenntnis; oder sagen wir, es schließt sich seitlich ein Ring, der einen bedeutsamen Kreislauf innerhalb der technischen Arbeit auslöst. Denn hier entsteigen Fragestellungen, für die man abermals bei der technischen Wissenschaft die Formeln eintauschen muß; vorausgesetzt, daß die letztere der Praxis nachkommt, denn wir wissen ja, wie außerordentlich viel an unaufgelöst empirischer Technik inmitten selbst der rationellsten Technik übrig ist. So setzen diese vier Phasen der technischen Arbeit eine epizyklische Bewegung zusammen: vorwärts, und doch wieder in sich zurück rollend. Ungefähr so, also gewiß nicht im Sinne einer platten „Anwendung" der wissenschaftlichen Erkenntnis, verläuft hier der typische Weg aus der Theorie in die Empirie der lebendigen Arbeit.

Es wäre überhaupt noch so viel zu sagen, über das Verhältnis der technischen Arbeit zur technischen Wissenschaft, so auch zur empirischen Technik, zu der vorfindlichen sowohl als jener, die sich notwendig immer wieder herausbildet; dann über die Möglichkeit und Art einer personalen Teilung im Bereiche der technischen Arbeit, oder endlich über deren merkwürdige Entwicklungstendenz — daß nämlich die technische Arbeit, wenn sie fortgesetzt in den Arbeitsprozeß rationalisierend eingreift, schließlich allein im Reiche der Arbeit zurückbliebe; ja sie selber mechanisiert sich in ihren subalternen Funktionen, und nur das Ingenium trotzt dieser Tendenz; jene „Übermaschine", die ihn selber ausschalten würde, hat der Ingenieur gewiß nicht zu befürchten. Aber ich muß abbrechen, um das Fazit zu ziehen.

V.

Ich mußte tiefer in das Wesen der technischen Arbeit eindringen, weil ich eine Behauptung zu vertreten habe, die für den ersten Eindruck wie eine contradictio in adjecto anmutet; so daß sie nur dann, ohne Mißtrauen oder Mißverständnis zu begegnen, vertretbar ist, wenn der ganze Sachverhalt, um den es sich handelt, zureichend beleuchtet wurde. Es betrifft die These, daß jene technische Arbeit schon als solche, ausdrücklich als technische, von wirtschaftlichem Charakter sei.

Freilich, das wird niemand bestreiten, daß sich die ganze technische Arbeit im Rahmen und im Dienste des Wirtschaftslebens vollzieht; sei es nun zugunsten des Erwerbs oder zur

Deckung des öffentlichen, vor allem des Staatsbedarfs, womit auch alle sogenannte Kriegstechnik einbezogen erscheint. Auch wird gerade der Praktiker der technischen Arbeit hier auf etwas hinweisen, das dem Laien meist gar nicht zum Bewußtsein kommt: daß er keinen Strich auf dem Reißbrett zieht, ohne sich über dessen wirtschaftliche Voraussetzungen und Konsequenzen klar zu bleiben, über alles das nämlich, was mit der Herstellung und mit der Verwendung des Konstruierten zusammenhängt. In vielen Fällen wird es sich um Erwägungen der faktischen Rentabilität handeln, also um die Frage, ob das nach dieser Konstruktion, nach diesem „Projekt" Hergestellte noch mit Nutzen verkäuflich, beziehungsweise für den Käufer noch mit Nutzen verwendbar bleibt. So wird es regelmäßig im Erwerbsleben sein, im Verband der modernen Unternehmung. In anderen Fällen, wie bei Staatsbetrieben und öffentlichen Bauten, handelt es sich mehr um eine rechnungsmäßige Rentabilität. Mindestens berühren dann die „Selbstkosten" keine Existenzfrage, sondern eine fiskalische oder gar nur eine Frage des wirtschaftlichen Anstands, um mich so auszudrücken. In jedem Falle ist soviel sicher, daß der technisch Arbeitende schon als Konstrukteur fortwährend auch in Preisen, Löhnen und Ähnlichem denken muß. Bezeichnen wir einmal diese stete Bindung der technischen Arbeit an den Preis als ihre „Preisgebundenheit". Dann läßt sich ein erster Einwand gegen meine These so formulieren, daß mit dieser Preisgebundenheit der technischen Arbeit gar kein prinzipielles Verhältnis vorliege; sie würde der Technik einfach durch den heutigen Wirtschaftszustand aufgezwungen, in der Konsequenz ihrer Einflechtung in das Wirtschaftsleben. Man könnte also bestenfalls von einer äußeren Wirtschaftlichkeit der technischen Arbeit sprechen; eine innere jedoch, ein wirtschaftlicher Charakter ihrer selbst, das läge gar nicht vor.

Anschauungen, die in solche Gedankengänge einlenken, waren besonders der älteren Nationalökonomie geläufig; aber die neuere blieb just in diesem Punkte ziemlich veraltet. Es wäre nun recht verwunderlich, daß man hierfür einen Mann verantwortlich machen kann, von dem genialen Scharfsinn und zugleich praktischen Blick eines Friedrich B. W. v. Hermann, der in der Tat das prinzipielle Verhältnis zwischen Technik

und Wirtschaft für Generationen von Lehrbüchern festgelegt
hat. Aber dank unseren Ergebnissen bisher löst sich das
Rätsel, wobei allerdings mehr jener Forscher entlastet wird
als jene, die ihm nachschreiben und ein bißchen gar zu arg
hinter ihrer Zeit zurückbleiben. Denn um es kurz abzutun,
hier spukt einfach noch die Vorstellung der empirischen
Technik, der werkseligen Selbstvervollkommnung der Arbeit.
Nur so wird es begreiflich, daß Nationalökonomen heute noch
der Technik das quantitative Moment überhaupt absprechen,
somit auch alles Zuratehalten der Mittel, in dem Wahne, das
letztere würde immer erst durch die Wirtschaft in die Technik
hineingetragen, als ein ihr selber fremdes Element. Ich will
dieser wurmstichigen Anschauung lieber sofort entgegentreten,
auf die Gefahr hin, dem Späteren etwas vorzugreifen.

Ohne Zweifel spricht sich in der Preisgebundenheit der
technischen Arbeit die Rücksicht auf die Rentabilität aus; und
diese, das Streben nach höchstem Gewinn, nach dem günstigsten
Abstand zwischen realen Geldkosten und realem Gelderlös,
hat mit dem Wesen der Technik freilich nichts zu tun. Das
wurzelt bloß in unseren heutigen Wirtschaftszuständen, ist
etwas historisch Bedingtes. Wenn aber diese Zustände, so
argumentiere ich, die technische Arbeit zu einer preisgebun-
denen machen, dann zwingen sie ihr trotzdem nichts auf, was
ihrem Wesen fremd wäre; sondern sie modifizieren dann bloß,
prägen gleichsam ins Modern-Wirtschaftliche, in das heute
Geltende um, was in der technischen Arbeit gleichsam von
Natur aus lebendig ist, als ein zeitlos Gültiges; wie es sich
zeigen soll, ist dies das Sparen mit den realen Sachkosten,
das Streben, den Abstand zwischen Sachaufwand und Sacherfolg zu erweitern, kurz, das Streben nach der höchsten
Produktivität.

VI.

Aber wie seltsam, auch diese richtige Einsicht in das
Wesen der heutigen Technik scheint sich gegen meine These
kehren zu wollen. Diese richtige Einsicht ist naturgemäß bei
der Technik selber. So hat zum Beispiel in seinem interessanten
Buche „Technik als Kulturmacht" Ulrich Wendt geschrieben:

„Das Ziel der Arbeitsleistung ist in jedem Falle ein gewollter Zweck. Es ist die Aufgabe der Technik, diesen Zweck auf dem Wege des kleinsten Widerstandes zu erreichen, mit einem tunlichst geringen Aufwand an Arbeitskraft und Material." Nun, gar nichts anderes will auch ich vertreten. Allein hier wird von Wirtschaft mit keinem Worte gesprochen! Und andere Gelegenheiten lassen keinen Zweifel übrig, daß dies in voller Absicht geschieht. Man will es einfach nicht wahrhaben, daß hier ein wirtschaftlicher Zug des Wesens der technischen Arbeit sich offenbart. Weshalb nun diese Verleugnung, die im Grunde doch auf eine Selbsttäuschung hinausläuft? Nach zwei Richtungen hin glaube ich die Veranlassung abzusehen. In der einen Richtung will man bewußt einem anscheinenden Widerspruch aus dem Wege gehen, der aber leicht aufzulösen ist; in der anderen Richtung ist es der halb unbewußte Drang, mit der naturwissenschaftlichen Weltanschauung auch bezüglich einer Sache im Einklang zu bleiben, die gar nicht auf Weltanschauung gestellt ist, mit der es eine höchst nüchterne Bewandtnis hat.

Das Sparen mit den Sachkosten soll deshalb nichts Wirtschaftliches besagen, weil es sonst ganz unerklärlich bliebe, wie etwas im modernen Sinne technisch Vollendetes, etwas also, das mit geringsten Sachkosten hergestellt ist, trotzdem wirtschaftlich verfehlt sein kann. So argumentiert zum Beispiel Herrmann Justus Haarmann in einer jüngst erschienenen Schrift: „Die ökonomische Bedeutung der Technik in der Seeschiffahrt". Nun ist es allerdings brutale Tatsache, daß ein Höchsterfolg in puncto Sachkosten nicht auch schon ein solcher in Rentabilität sein muß. Wie man überhaupt über solche Widersprüche denken soll, in welche die Forderungen der Produktivität mit jenen der Rentabilität geraten, das gehört auf ein anderes Blatt. Um diesen Widerspruch und die Möglichkeit seines Ausgleichs handelt es sich garnicht. Inmitten unserer heutigen Wirtschaftsordnung besteht er einmal als Tatsache. Aber zu dieser Tatsache selber steht es keineswegs in Widerspruch, noch verhehlt oder verschleiert es diese brutale Tatsache, wenn man das Sparen in Sachkosten, zu dem sich die Technik selber bekennt, doch als eine Manifestation der Wirtschaftlichkeit ansieht. Es kommen hier eben zwei Begriffe der Wirtschaftlichkeit in Betracht: einmal im Sinne der Erzielung höchster Produktivität, zweitens im Sinne der Erzielung höchster Rentabilität. Der erste Begriff ist mehr grundsätzlich gefaßt, ist zeitlos, absolut, der zweite Begriff ist mehr tatsächlich gewendet, ist historisch, relativ. Aber auf Wirtschaftlichkeit läuft es da und dort hinaus, einfach schon, weil beidemals die Idee des Sparens anklingt, dort in realen Sachkosten, hier in realen Geldkosten. Nun ist ja diese Zwiespältigkeit lästig, ich gebe zu, daß sie Mißverständnisse verschulden kann. Ich glaube nur, daß noch keine Maschinenfabrik an der Zweideutigkeit jenes Wortes zugrunde gegangen ist, sondern wohl deshalb, weil sie für die höchst eindeutige Sache der Rentabililät verständnislos blieb. Und auch der Konstrukteur etwa, der sich gegen die Preisgebundenheit seiner Arbeit auflehnt, der verbissen dem technisch Vollendeten nachgeht, wie immer die Rentabilität dabei fahren mag, auch er tut es gewiß nicht aus verhängnisvoller Liebe für eine mißverstandene Wirtschaftlichkeit, der er dabei zu dienen glaubt; im Gegenteil, der will eben der Nur-Techniker sein, und von diesem Berufskoller, von seinem ausgesprochen wirtschaftsfeindlichen Streben wäre er am gründlichsten noch dadurch abzubringen, daß man ihn aufklärt, wie er aus heller Abscheu vor der Wirtschaftlichkeit in Preisen doch nur einer Wirtschaftlichkeit Numero Zwei in die Arme läuft; allerdings dann jener, wie es sich zeigen soll, bei der er als Techniker sich selber treu bleibt, weil sie im Wesen der Technik wurzelt.

Allein der Grund der Abneigung, jenen Wesenszug der Technik als einen wirtschaftlichen anzusehen, liegt eben noch tiefer. In jenem Streben nach den mindesten Sachkosten möchte man gern etwas anderes erblicken: das Auftauchen eines großen Naturprinzips inmitten der Technik. Mit Vorliebe spricht man deswegen von einem „Prinzip des Minimums" und verhehlt es sich auch im Worte, daß in der Sache doch nichts dahinter steckt als das nüchterne Vernunftding des Sparens. Der Techniker aber, der an jener Auffassung festhält, will eben nicht den Lehensmann der Wirtschaft spielen, er fühlt sich gleichsam in der Reichsunmittelbarkeit der Natur. So findet er sich auch in diesem Punkte mit der Weltanschauung

zusammen, von der mindestens sein berufliches Wirken getragen ist. Und wäre es nicht verzeihlich, daß er einem Vorgehen, das nur aus unserem sinnvollen Handeln heraus ver-
ständlich ist, dem Sparen nämlich, gutgläubig ein großes
Prinzip des Naturerkennens unterschiebt? Ihm, der in einem
so innigen Verhältnis zur Naturerkenntnis verharren muß, darf
man es am wenigsten verdenken, wenn er etwas tut, was
andere umgekehrt deshalb begehen, weil sie an unverdauter
Naturwissenschaft leiden: wenn nämlich der Techniker überhaupt gerne Kategorien des Naturerkennens dorthin verschleppt,
wo sie einmal nicht hingehören; wenn er zum Beispiel, in
treuer Nachfolge Ostwalds, gar zu gerne von „Energien“
spricht, auch für den Teil der Welt des sinnvollen Handelns,
wo man zwar auch der richtigen Energie, in bezug auf ihre
Quellen, ihre Verwertung, ihre Ausbeutung, sehr zu achten hat,
als einer höchst wichtigen „Determinante“ alles industriellen Ge-
barens, wo aber als „Dominante“ des Geschehens, das will
sagen, als eine der urtümlichen Bedingungen, auf die sich das
sinnvolle Handeln kausal zurückführen läßt, gewiß nur die
einzige „Energie“ in Frage kommt, die Tatkraft! Aber zum
Glück brauche ich diese großen Prinzipienfragen unseres Er-
kennens nicht weiter aufzurühren. Es genügt, wenn ich in
der Darlegung der technischen Arbeit zwei Versäumnisse nach-
hole, dann ziehen sich die Fäden dieser Darlegung ganz von
selbst zum Beweise der These zusammen, die ich vorläufig nur
polemisch verfochten habe.

VII.

Wir haben stets nur vom Wege zum Zweck gesprochen,
weil tatsächlich nur dafür, nur für die Form des Handelns,
die Technik haftet. Aber die Zwecke selber und damit
der Sinn aller Arbeit, wer haftet denn hierfür? Für gewisse,
sogar überaus zahlreiche Zwecke allerdings noch die Technik
selber: sie korrespondieren mit den im engeren Sinne „technischen Problemen“, wie z. B. Krafterzeugung, Steuerung, feuer-
festes Material und so fort ins Unendliche. Aber da handelt
es sich durchweg um Hilfs-, um Zwischenzwecke, um bloße
Stationen am Wege. Sie alle sind hergeleitet von Zwecken,

die nicht mehr die Technik selber setzt. Zwar wirkt sie auch noch auf die Setzung dieser Zwecke heftig zurück. Gleichwie neue Zwecke auch neue Probleme ihrer Wege stellen, neue Erfindungen herausfordern, so wirkt umgekehrt die Bahnung neuer Wege, mithin etwas spezifisch Technisches, auf die Setzung der Zwecke zurück; von diesen werden viele dadurch erst erfüllbar oder doch besser erfüllbar, und danach fallen sie auch als Zwecke anders ins Gewicht. Mit anderen Worten: Latente Bedürfnisse schieben sich dadurch in den Kreis jener ein, die als praktisch gewordene Bedürfnisse noch miteinander vereinbar sind. Besonders in solchen Richtungen bewegt sich das unerschöpflich formenreiche Wechselspiel zwischen Technik und Wirtschaft. Aber trotz jener machtvollen Rückwirkung steht es im Prinzipe fest, daß im Reiche der eigentlichen Zwecke nicht die Technik herrscht — wer nun? Ohne Zweifel die Wirtschaft.

Man kann zwar nicht die Zwecke selber, um welche es sich in der Relation auf Technik und Wirtschaft handelt, der letzteren zurechnen; von den Hilfszwecken abgesehen, die in großer Zahl auch aus der Wirtschaft hervorgehen. Die eigentlichen Zwecke aber, die liegen als Streben und Sehnsucht, als Begehrungen und Wünsche in der Menschennatur vor Anker; von da gehen sie teils unmittelbar aus, teils über die sozialen Gebilde und ihre Bedürfnisse hinüber vermittelt. Es ist auch keineswegs die Wirtschaft allein den Zwecken übergeordnet; Ethos und Moral gebieten sogar in einem höheren Sinne über sie. Eines aber ist im Reiche der Zwecke, im Reiche unserer Bedürfnisse, ausschließlich der Wirtschaft vorbehalten: daß sie unter jenen Zwecken, die nur durch einen Aufwand, in letzter Linie also durch Arbeit erfüllbar sind, einen Ausgleich trifft, und zwar aus dem Gesichtspunkte ihrer Erfüllung. Das will sagen, die Zwecke werden überhaupt nur gemäß dem Ausgleiche gesetzt und erfüllt, den die Wirtschaft unter ihnen vornimmt; ihr steht gleichsam die Exekutive im Reiche der Zwecke zu, sie ist einmal der lästige Büttel, der unsere ungebärdigen Bedürfnisse im Zaume hält.

Die Technik aber nimmt die Zwecke jedenfalls nur aus dieser obrigkeitlichen Hand der Wirtschaft, somit als wirtschaftliche Zwecke entgegen, ehe sich die letzteren unter ihrer Obhut in technische Probleme wandeln. Als wirtschaftliche Zwecke erscheinen sie weitaus nicht alle dem Inhalt, alle aber ihrer Setzung, der Exekution nach. Daher sind es nicht schlechthin „gewollte" Zwecke, nach denen hin die Technik die Wege bahnen muß. Vielmehr strahlen alle technischen Probleme letzten Endes von wirtschaftlichen Problemen aus. So liegt das prinzipielle Verhältnis, unbeschadet jener mächtigen Rückwirkung des Technischen aufs Wirtschaftliche. Wie eben die Form aller Arbeit auf die Technik, so geht der Sinn aller Arbeit auf die Wirtschaft zurück.

Technik, sagten wir, sei die Kunst des Rechten Weges zum Zweck; Wirtschaft nun ist die Kunst des richtigen Ausgleichs unter den Zwecken, aus dem Gesichtspunkte ihrer Erfüllung. Das will keine Definition der Wirtschaft sein, nur die ad hoc geschaffene Formel, um das prinzipielle Verhältnis zwischen Technik und Wirtschaft in ein klares Licht zu setzen. Übrigens widerspricht diese Formel durchaus nicht den landläufigen Vorstellungen von der Wirtschaft. Faßt man zum Beispiel Wirtschaft als „fürsorgliche Bedarfsdeckung" auf, so liefe ja die letztere schlecht und recht auf Arbeiten hinaus, solange man nicht das Fürsorgliche beachtet; dies also will man eigentlich als Wirtschaft hervorkehren, und das harmoniert doch trefflich mit der Vorstellung des weitausblickenden Ausgleichs unter den Zwecken, hinsichtlich ihrer Erfüllung. Und schränkt man außerdem die Wirtschaft empirisch auf unser Wirken gegenüber der äußeren Natur ein, indem man sie etwa als „Sachgüterversorgung" deutet, so ist erst recht die Parallele mit der Technik da, die ja ebenso auf Naturbeherrschung eingeengt wird. Technik und Wirtschaft sind also Hand in Hand geschäftig, die äußere Natur unseren Wünschen, unseren Bedürfnissen botmäßig zu machen. Nur kann die Technik nicht gut auf eigene Faust vorgehen, einem Bedürfnis selbstherrlich und vom Platze weg den Weg zu seiner Erfüllung bahnen. Stets ist die Wirtschaft auch mit von der Partie, wenn nicht tätig, so leidend, wenn nicht ordnend, so in Unordnung gebracht, und dies macht sich erst recht fühlbar. Es muß sich daher immer erst jener Ausgleich unter den Zwecken einschieben, der die Wirtschaft bedeutet, und von dem leicht sich zeigen läßt, wie unentbehrlich er an sich ist.

Einmal kollidieren die Zwecke öfters schon inhaltlich, sie widersprechen einander in Sachen ihrer Erfüllung, so daß es notwendig auf die Entscheidung ankommt, ob ich den einen oder den anderen, oder zwar beide, jeden aber modifiziert erfüllen soll. Zweitens aber, und da besonders liegt der Hase im Pfeffer, sind es unserer Begehren, deren Inhalte als Zwecke gesetzt sein wollen, immer gar zu viele im Vergleich zu den stets beschränkt vorhandenen Mitteln, sie zu erfüllen; so können einmal nicht alle und auch die einzelnen nicht immer ganz erfüllt werden. Hier verrät sich ja ein Grundverhältnis in der bestimmenden Sachlage unseres ganzen Daseins; es betrifft den leidigen und unaustilgbaren Widerspruch, der zwischen der prinzipiellen Unbegrenztheit unseres Wollens und der prinzipiellen Begrenztheit unseres Könnens besteht. Mit diesem selber prinzipiellen Widerspruch sich abzufinden, darin geht die Wirtschaft restlos auf. So begreift auch jener Ausgleich unter den Zwecken im Prinzipe stets eine Aufteilung in sich; wir schieben im Vollzuge jenes Ausgleichs die verfügbaren Mittel in wechselndem Ausmaße den konkurrierenden Zwecken zu. Diese werden also bloß nach Maßgabe des Ausgleichs erfüllbar, somit erst durch das Ergebnis jener Aufteilung recht eigentlich als Zwecke gesetzt. Es stellt sich demnach heraus, daß die Erfüllung irgend eines Zweckes irgendwie immer die Erfüllbarkeit der übrigen Zwecke tangiert, sie mindert, an ihr gleichsam nagt; so gilt es wenigstens nach aller Regel des Lebens. Und damit kommt nun das Sparen zur Welt. Jener Ausgleich selbst, vorgenommen im Angesichte einer ganz bestimmten Sachlage, ist stets etwas Individuelles und auch stets etwas Bewegliches, von einer Lage zur anderen, von einem Augenblick zum anderen. Aber der Zwang, ihn immer und immer wieder zu vollziehen, verdichtet sich ganz von selber zu der starren und generellen Regel des Sparens. Sparen heißt nichts anderes als bei der Erfüllung eines Zweckes auf die übrigen Rücksicht nehmen. Sie können es hieraus entnehmen, in welcher höchst nüchternen, rein vernunftmäßigen Weise jenes vielberufene „Prinzip des Minimums" seinen Einzug in die Wirtschaft hält. Ein Prinzip ist es gar nicht, sondern eine schlichte Klugheitsregel, die sich uns zwar ganz imperativ aufzwingt, die aber als praktisch werdende Forderung doch nur unter ganz bestimmten Voraussetzungen einen Sinn hat. Fallen diese hinweg, überwiegt zum Beispiel in irgendeiner Richtung das Verfügbare die Bedürfnisse, dann scheidet das Sparen sofort aus, verliert allen Sinn. Dies hindert zwar alles nicht, daß zwischen dem Sparen und jenem großen Prinzip des Naturerkennens trotzdem eine gewisse geistige Verwandtschaft besteht. Man könnte ja das Sparen auch dahin umschreiben und sagen: Sparen heißt einen Zweck so erfüllen, daß hierdurch dem Erfüllen aller übrigen Zwecke der geringste Widerstand entgegengesetzt wird. Jedenfalls ist diese Rücksichtnahme auf andere Zwecke für den Tatbestand des Sparens sein realer Sinn, während es für den Tatbestand, daß die Natur überallhin die Wege des geringsten Widerstands verfolgt, gewiß nur als Gleichnis gilt, wenn man ein Sparen der Natur, eine Rücksichtnahme also darin erblickt. Wir legen uns damit das Vorgehen der Natur nach der Analogie unseres sinnvollen Handelns zurecht, wandeln eine Maxime dieses Handelns in ein Erkenntnisprinzip gegenüber der Natur. Daher darf man sicherlich den Sachverhalt nicht so umdrehen, als ob uns umgekehrt das Sparen aus der Natur überkäme, wo es angeblich von Haus aus vorwaltet, als das Prinzip des geringsten Widerstandes. Sonst müßte auch der Mensch, der noch am meisten in der Hand der Natur verharrt, der Naturmensch, folgerichtig der größte Sparmeister sein. In Wahrheit ist er ein heilloser Verschwender, eben darum, weil ihm der Begriff des Sparens noch fremd bleibt, weil sein Denken noch nicht der Befolgung dieser Klugheitsregel gewachsen ist. So harmoniert nicht etwa das Vorgehen des Naturmenschen, sondern erst jenes des Kulturmenschen mit der Natur. Dies gilt auch für alles Vorgehen im Bereiche der Technik. Aber auch hier gilt es immer nur so, daß der Mensch auf dem Umwege der Vernunft zurückfindet zur „Weisheit der Natur".

Dem Sparen, das mehr ein Lassen ist, tritt innerhalb der Wirtschaft auch ein Tun zur Seite, die Bedarfsdeckung durch Arbeit, die in der modernen Wirtschaft meist den Sinn des Erwerbens hat und sich in die Form der Unternehmung kleidet. Diesem Erwerben steht dann in hervorragendem Grade die Initiative der Zwecksetzung zu. Im praktischen Durchschnitt ist es heute der Unternehmer, der die Bedürfnisse der Anderen als Zwecke realisiert, und daraus leiten sich dann die technischen Probleme her. Sparen und Erwerben ordnen sich gemeinsam dem Wirtschaften ein, und dies ist ungefähr ein Gegenstück zur technischen Arbeit: es ist die tätige Sorge um den richtigen Ausgleich unter den Zwecken, hinsichtlich ihrer Erfüllung. Sofort stellt sich aber ein wichtiger Unterschied heraus. Das Ganze der technischen Arbeit überhaupt macht die Technik aus, als reale Einheit; aber nur in abstracto, indem man den Umfang dieses Begriffes als Inbegriff aussagt, läßt sich das Ganze des Wirtschaftens als Wirtschaft zusammenfassen. In der Wirklichkeit hingegen, da steht neben der realen Einheit der Technik die Unzahl der realen Wirtschaftseinheiten, niederen und höheren Grades, umschlossene und umschließende. Jede dieser Wirtschaftseinheiten, ob es sich z. B. um einen Haushalt, um ein Fabrikunternehmen oder gleich um eine ganze Volkswirtschaft handelt, ist als ein soziales Gebilde aufzufassen; ein Gebilde nämlich, dem ein Kreis von Personen zugehört, dem also ein Personalverband entspricht, ebenso ein Sachverband, und das sich als ein Gliederbau sozialer Einrichtungen und Verhältnisse darstellt. Im Kerne aber sind es Handlungen, einschließlich aller ihrer Attribute, was sich zu einem solchen Gebilde in Einheit zusammenfügt.

Nur aus dem Wesen des sozialen Gebildes heraus wird es uns klar, in welchem Geiste der Ausgleich unter den Zwecken, den das Wirtschaften in sich schließt, als ein richtiger gemeint ist. Dieser Ausgleich zielt einfach auf den Bestand des Gebildes ab; um also richtig zu sein, muß er so vorgenommen werden, daß ein Beharrungszustand in dem Handeln eintritt, von welchem das soziale Gebilde getragen wird. Es gilt, schon von den Zwecken her dieses Handeln in sich zu Andauer und Beharren auszugleichen. Mit anderen Worten, das Handeln muß in einer Weise vollzogen werden, die es dauernd vollziehbar erhält. Denn immer nur auf der richtigen Zusammenstimmung, im Bilde gesprochen, auf dem inneren, dynamischen Gleichgewicht des Handelns, das sich zum sozialen Gebilde ineinanderfügt, beruht der Bestand dieses Gebildes, im Sinne einer in sich ruhenden Einheit des Geschehens. Wer jenen Ausgleich, soweit er sich nicht von selber einstellt, praktisch vollzieht, wer sich daher als „Wirtschafter" betätigt, dem muß das Ziel des Ausgleichs nicht gerade in der Form vorschweben, in der es hier theoretisch formuliert wurde. Immerhin ist es selbst der schlichtesten Auffassung zugänglich, daß richtig wirtschaften soviel besagt als im Umkreis des eigenen Vorgehens alles auf Dauer und Bestand einrichten. Wir stehen hier vor einem dritten Begriff der Wirtschaftlichkeit, übergeordnet den beiden früher erwähnten. Wirtschaftlich in diesem höchsten Sinne ist ein Vorgehen insoweit, als es mithilft, den Bestand des Gebildes zu verbürgen, als es mithin dem „Blühen und Gedeihen" desselben, der Prosperität förderlich erscheint.

Es läßt sich jetzt schon der erste Schlußstrich ziehen. Jener Einschluß aller technischen Arbeit in das Wirtschaftsleben, der als empirischer Tatbestand so offen am Tage liegt, stellt sich als ein streng prinzipielles Verhältnis heraus. In ganz prinzipieller Weise schließt alle technische Arbeit an das Wirtschaften an, weil die menschlichen Zwecke, gleichviel welches ihr Inhalt ist, immer nur durch das Mittel des Wirtschaftens hindurch praktisch werden und sich erst daraufhin in Probleme der Technik wandeln. Das wäre aber vorläufig nur der Auftakt für den Beweis meiner These. Es soll sich zeigen, daß die Wirtschaft nicht bloß die Probleme der Technik stellt, sondern auch den Geist der Lösungen beherrscht.

VIII.

Wir sind uns den Aufschluß schuldig geblieben, wie unter den vielen möglichen Wegen zum Zweck der Rechte zu finden sei. Den greifbarsten Anlaß, wie gesagt, scheint der Erfolg am Zweck darzubieten. Dies setzt jedoch voraus, daß dieser Erfolg einer Steigerung zugänglich ist. Immer trifft dies gar nicht zu; es gibt sozusagen absolute Zwecke, die nur zwei Fälle kennen: erfüllt sein oder unerfüllt bleiben; so zum Beispiel die Tötung eines Organismus. Freilich können wir uns in solchen und {auch in anderen Fällen erst noch bei Nebenerfolgen Rat darüber erholen, wie die Entscheidung

unter den möglichen Wegen zu treffen sei. Dann liegen die
Dinge ganz so wie in den weitaus häufigeren Fällen, in denen
der Erfolg am Zwecke selber meßbar ist, oder doch ver-
schiedene Erfolge möglich und gegeneinander abstufbar sind.
Auch da kann die Entscheidung ausbleiben, sobald nämlich
der absehbar beste Erfolg am Zweck immer noch auf
mehreren Wegen zum Zweck erreichbar ist, die sich als mög-
liche übersehen lassen. Dieser Fall tritt aber in einer gewissen
Abwandlung sogar ganz grundsätzlich ein. Gesetzt, es scheint
die Entscheidung gemäß dem winkenden Erfolg am Zwecke
fällbar zu sein, weil die Tatsache vorliegt, daß von den über-
sehbaren Wegen bloß einer zum besten Erfolg zu führen verspricht. Dann schließt diese Tatsache noch keineswegs die
Möglichkeit aus, daß der gleiche Erfolg, der als der beste erscheint, auch noch auf anderen Wegen erreichbar ist; auf
Wegen, die noch gar nicht übersehbar sind, sondern erst auf-
zufinden wären. Auf eine Entscheidung zwischen diesen Wegen
könnte man aber nicht rechnen, solange wir auf die Beobachtung des Erfolges am Zweck angewiesen blieben. Man
wüßte nicht, in welchem Sinne sich überhaupt ein neuer Weg
an Güte über den alten zu stellen vermag; und so würde auch
die Einsicht fehlen, in welcher Richtung man den neuen Weg
zu suchen hätte, damit er dem alten gegenüber als der bessere
gelten darf. Diese Sachlage, die grundsätzlich immer zutrifft,
kann in praxi zum Beispiel die Form annehmen, daß unter
verschiedenen, bereits bekannten Arbeitsverfahren das eine
wohl ganz klar das beste Produkt liefert, eine weitere Verbesserung des Produktes auch gar nicht Problem ist, wohl
aber eine Verbesserung des Arbeitsverfahrens, ohne den Erfolg
zu schmälern. Dies verharrt jedenfalls als Problem, da man
weiß, daß dem Produkte bestimmter Güte gegenüber noch
lange nicht alle kausalen Möglichkeiten seiner Herstellung er-
schöpft sind, ja überhaupt nie erschöpfbar wären. Offenbar
umschließt aber die Frage, in welcher Art das Arbeitsverfahren durch ein besseres zu ersetzen oder doch in Einzel-
heiten zu verbessern sei, auch hier den Sinn, was als Rechter Weg
zum Zwecke gelten darf und wie er zu erfassen sei, trotzdem für
seine Erfassung der Erfolg am Zweck keine Handhabe mehr dar-
bietet. Aber gleichviel, ob nun dieses Problem des Rechten

Weges in der oder jener praktischen Form gestellt ist, es muß
doch gelöst werden. Solange man in dieser Hinsicht wie mit
der Stange im Nebel umherfährt, käme die Technik, die ja
die Kunst des Rechten Weges bedeutet, sozusagen gar nicht
zu sich selber. Es ist aber der springende Punkt, daß jenes
Problem ausdrücklich auch dann lösbar sein muß, sobald das
eine Kriterium der Wahl, der Erfolg am Zweck, für sich allein
aus irgendeinem Grunde versagt. Also ist ein weiteres
Kriterium der Wahl absolut notwendig, oder die Technik vermag sich selber nicht zu verwirklichen, weil man den Rechten
Weg zum Zwecke nicht abzusehen wüßte.

Dieses notwendige zweite Kriterium der Wahl ist nun
ebenso notwendig die Wirtschaftlichkeit der verschiedenen
Wege, unter denen zu wählen ist. Dabei kann bloß jener Begriff der Wirtschaftlichkeit in Frage kommen, der eins ist mit
dem Streben nach der höchsten Produktivität, also nach dem
günstigsten Verhältnis zwischen Sachaufwand und Sacherfolg,
weil es die Technik selber mit eitel Sachzusammenhang zu tun
hat. So ergibt sich, von einem bestimmten Zweck und bestimmten Erfolg aus gesehen, als Rechter Weg zum Zwecke
der wirtschaftlichste, der sparsamste. Ich betone, notwendig greift man nach diesem Wägegrund der Entscheidung,
weil alles Formen einer Arbeit, die ihren Sinn aus der Wirtschaft herleitet, auch bloß im wirtschaftlichen Geiste geschehen
kann. Sonst wäre ein innerer Widerspruch vorhanden, zwischen
der Art, wie Zwecke untereinander ausgeglichen, und der Art,
wie die ausgeglichenen Zwecke dann verwirklicht werden.
Es gilt dies prinzipiell und ausnahmslos. Gewiß gibt es Fälle,
in denen der Erfolg am Zweck, zum Beispiel die innere Vollkommenheit des Werkes, für das Gestalten der Arbeit von
überragender Bedeutung ist; überall dort wird dies gelten, wo
sich die Technik mit der Kunst zusammenfindet. Auch da
aber wird man jenen Erfolg, für den man sich einmal ent-
schieden hat, notwendig auf dem wirtschaftlichsten Wege zu
erzielen suchen. Das Kriterium der Wirtschaftlichkeit spielt
also in solchen Fällen erst an zweiter Stelle in die Entscheidung
ein; ausgeschaltet aber darf es nicht bleiben, oder man ver-
sündigt sich an der Natur der Dinge. Es muß daher die
Technik, will sie ihrem eigenen Wesen treu bleiben, bei der

Wahl des Rechten Weges zum Zweck notwendig auch
das Kriterium der Wirtschaftlichkeit handhaben.
Darin wurzelt nun ihre grundwesentliche Verknüpfung mit der
Wirtschaft, darin beruht zugleich der wirtschaftliche
Charakter der technischen Arbeit.

Hiermit bin ich eigentlich am Schlusse. Allein, da mein
Resultat die Technik nun doch zugunsten der Wirtschaft
„mediatisiert", wäre es unbillig, nicht auch ein weiteres zu
tun: daß man nämlich darauf hinweist, in welcher wahrhaft
genialen Art und Weise die Technik auszugestalten versteht,
was sie von der Wirtschaft her in ihr eigenes Wesen über-
nimmt. Am liebsten möchte ich Ihnen eine Reihe von Beispielen vorführen, deren Moral einhellig dahin ginge, den
Techniker als Virtuosen der Wirtschaftlichkeit zu
zeigen. Leider wäre es viel zu umständlich, von diesen
Beispielen eins nach dem anderen durchzusprechen, bis
man in der Runde herum ist. Darum will ich summarisch
vorgehen und die Moral, die man zur Illustration meiner These
aus tausend und aber tausend Beispielen ziehen könnte, sozusagen zu Prinzipien verdichten.

IX.

In der Formulierung solcher Prinzipien ist Emanuel
Herrmann bahnbrechend vorangegangen, und Andere, so besonders Andreas Voigt, sind ihm darin glücklich gefolgt.
Herrmann hat einige Prinzipien dieser Art zuerst als solche
der Wirtschaft bezeichnet, späterhin von Prinzipien des
Arrangements der technischen Prozesse gesprochen. Eigentlich
handelt es sich um die Prinzipien einer wirtschaftlichsten,
will sagen produktivsten Gestaltung der Arbeit. Weil
nun die Arbeit gestalten und sie auch wirtschaftlich formen den
Inhalt der technischen Arbeit ausmacht, so wird uns mit diesen
Prinzipien der wirtschaftliche Charakter dieser Arbeit greifbar
besser gesagt, der aus ihrem Charakter entspringende wirtschaftliche Instinkt dieser Arbeit. Denn die Technik selber
formuliert diese Prinzipien nie. Deshalb bleiben es doch die
wirtschaftlichen Direktiven der technischen Arbeit
— Verschwindungspunkten gleich, die zwar außerhalb liegen,

nach denen hin trotzdem alle Linien gezogen werden. Der gewiegte Techniker befolgt diese Prinzipien treu, er bedarf aber ihrer Formulierung nicht, er hat das einfach schon so im Griff. Dennoch halte ich es keineswegs für eine müßige Aufgabe, nach solchen Prinzipien in der Welt der technischen Arbeit auszuspähen, um dann zu versuchen, wie sich das empirisch Aufgefundene in ein System bringen ließe.

In der Tat stellt es sich heraus, daß der Obersatz aller dieser Prinzipien folgerichtig das sogenannte Wirtschaftliche Prinzip ist, der Gedanke, den man so unglücklich in den einen Satz gepreßt hat: „Suche den höchsten Erfolg mit dem geringsten Aufwand zu erreichen." Natürlich könnte man einer Forderung, in der sich zwei Superlative ja widersinnig verspreizen, niemals Genüge leisten; man muß sie erst in eine vernünftige Form bringen, in die Alternative auflösen, daß man entweder einen gegebenen Erfolg mit dem geringsten Aufwand, oder mit einem gegebenen Aufwand den höchsten Erfolg zu erzielen sucht.

Von der Forderung zunächst, mit einem gegebenen Aufwand den höchsten Erfolg zu erzielen, könnte man behaupten, daß sie sich im Schoße der Technik zu einem besonderen Grundsatz konkretisiert, zu dem Prinzipe der höchsten Ausbeute; in ihm sind zwei Direktiven enthalten, die einander ergänzen: Vermeidung von Abfall, und Verwertung des unvermeidlichen Abfalls. In den Händen des Technikers ist dies ein ebenso umfassendes als fruchtbares Prinzip. Ihm allein schon entsteigt eine Welt technischer Probleme, und ein ganzes Heer technischer Mittel bewegt sich in seiner Direktion. Höchste Ausbeute gilt es nicht bloß von Stoffen, etwa im Sinne der „Ausbringung", sondern auch von Kräften, wohin zum Beispiel die Verwendung der Turbine an Stelle des Wasserrades geht. Aber höchste Ausbeute auch der Geräte und Einrichtungen! In der Tat, das wirtschaftlich so bedeutsame Streben, die Arbeit so zu gestalten, daß inmitten ihres Vollzuges die Werkzeuge, Maschinen, Räume usw. möglichst wenig ruhen, „totliegen", daß man vielmehr das Tempo der Arbeit beschleunigt, um innerhalb des gleichen Zeitraumes jene Arbeitsbehelfe öfters als bisher zu verwenden — es geht restlos in diesem Prinzipe auf.

Mit der Forderung wieder, einen gegebenen Erfolg mit dem geringsten Aufwande zu erzielen, korrespondiert das **Prinzip des wirtschaftlich rationellen Vollzugs der Arbeit.** Denn wahrhaftig, neben der Kausalerkenntnis ist eben auch das Wirtschaftliche Prinzip oberste „ratio" der technischen Arbeit. Beiläufig läßt sich daraufhin ein zusammenfassendes Schlagwort bilden, indem man sagt, Technik sei überhanpt nichts als **wirtschaftlich orientierte Kausation.** Als ob sich jedoch darin der „vollzugselige" Charakter der modernen Technik dokumentieren wollte, spaltet sich dieses Prinzip des rationellen Vollzugs der Arbeit gleich in eine ganze Reihe engerer Prinzipien. Ich zähle sie schlechtweg her, ohne weitere Systematik, und setze zu jedem ein kurzes Sprüchlein, das den Sinn des Prinzips in der Art eines Mottos zusammenfaßt und verdeutlicht. Von den einschlägigen Beispielen führe ich nur wenige, und diese bloß beim Namen an.

Erstens: das **Prinzip des kausalgerechten Vollzugs** — der Arbeit natürlich, was ich aber fernerhin nicht immer wiederhole. Das verdeutlichende Sprüchlein lautet hier, ein bekanntes Wort ins Sächliche abwandelnd: „Eines schickt sich nicht für alles!" Wenn ich noch das zugehörige Stichwort beifügen soll, das für den Sinn dieses Prinzips einsteht, so handelt es sich hier um das **Differenzieren**, in Sachen der Arbeit und von Kausalitäts wegen, und zwar sowohl in quantitativer als in qualitativer Hinsicht. Einerseits geht also in der Richtung dieses Prinzips alles genaue Messen und Dimensionieren, andererseits das Spezialisieren der Werkzeuge — wie es zur höchsten Steigerung vielleicht im Instrumentarium einer chirurgischen Klinik gediehen ist — und auch das Sortieren der Stoffe, im Sinne ihrer richtigen Wahl; ja selbst das Problem der Surrogate spielt mittelbar hier ein, soweit sie auf den Erfolg, ohne ihn zu schmälern, künstlich zugeschnitten sind. „Kausalgerecht" soll der Vollzug der Arbeit sein, das will sagen, er soll sich möglichst enge an den direkten Kausalnexus anschmiegen, der im Erfolge am Zweck ausmündet. Nach dem Zeugnis Justus v. Liebigs, aus den Anfängen seiner unsterblichen Laboratoriumstätigkeit, vermag man ja nötigenfalls auch mit einem Bohrer zu feilen oder mit einer Feile zu bohren. Kausalrichtig ist beides, denn sonst käme überhaupt kein Erfolg heraus; nicht aber kausalgerecht, weil in diesem Falle die verwendeten Geräte nicht zureichend adäquat der Kausation sind, was auch den Arbeitsvollzug kausal erschwert. Man könnte hier das Bild wagen, daß bei einem derartigen Vollzug der Arbeit so etwas wie „Kausalballast" mitgeschleppt werde. Gerade Dieser fällt zum guten Teile weg, sobald die Feile feilt, der Bohrer bohrt; dann erst ist der Arbeitsvollzug kausal durchgebildet, kausalgerecht. Nun arbeitet wohl mit dem größten „Kausalballast" jene Universalmaschine, die man Menschenkörper nennt. Mithin geht in der Richtung dieses Prinzips nicht weniger als die ganze Mechanisierung der Handarbeit, ihr Umsatz in zwangsläufige Bewegung, von den Maschinen betätigt, in denen gleichsam das Arbeitsverfahren selber zu Stahl und Eisen geworden ist. Bei dieser radikalsten Umformung der Arbeit — alle sozialen Konsequenzen bleiben hier dauernd außer Betracht — spielt übrigens noch ein weiteres Prinzip mit,

zweitens: das Prinzip des nur noch auslösenden Vollzugs. Hier lautet das Motto: „Ein für allemal!" Dahinaus geht jegliches Geräte, vom schlichtesten Werkzeug an — hebt sich doch in seiner Idee das Werkzeug gerade darum über das bloße und nur vorübergehend verwendete Hilfsmittel hinaus, weil es auch für alle künftigen Bedarfsfälle aufbewahrt und verbessert wird — bis zur kompliziertesten Maschine und Kombination von Maschinen; so auch alle Bauten, alle Vor- und Einrichtungen welcher Art immer. Jedesmal ist dann die einmal getroffene Vorkehrung da, und die Arbeit selber schließt nur mehr den Ring, oder besser, sie schließt den Stromkreis und löst dadurch den Strom der Zweckverwirklichung aus. Unter dieses Prinzip fällt auch die so fruchtbare Idee der Schablone, von der alles Gießen, Stanzen, Pressen, Fräsen, der Letterndruck usw. getragen wird; und so mittelbar auch die Idee des „Typs", der „Normalien" in der Maschinenindustrie.

Drittens: das Prinzip des stetigen Vollzugs. Wenn hier das Sprüchlein zunächst „In einem Zuge!" lautet, so läßt es sich bedeutsam abwandeln: „Im Fortlauf, im Rundlauf!" Technische Beispiele aber stürmen nur so herein, besinnt man sich darauf, daß hier, in der Idee nämlich, Hin- und Hergang, Unterbrechung und ähnliche Komplikationen zu vermeiden, die wirtschaftliche Wurzel des großen technischen Prinzips der Rotation ist. Als die technischen Mittel, in denen es sich auslebt, erscheinen Räder, Walzen, Trommeln, Ketten ohne Ende, Bänder ohne Ende — Beispiele ohne Ende.

Viertens: das Prinzip des glatten Vollzugs. Hier lautet das Motto: „Eins ins andere greifend!" Wenn schon die meisten dieser Prinzipien irgendwie die beste Anordnung und Gliederung der Arbeit zu bewirken suchen, so ist es hier im Engeren auf das richtige „Arrangement" innerhalb der Arbeit abgesehen. Es sollen die Phasen der Arbeit, bis zu den Handgriffen herab, richtig verzahnt, alle Vornahmen richtig aufeinander abgestimmt sein, sowohl hinsichtlich der Zeit als auch dem Raume nach. So antworten diesem Prinzipe zum Beispiel Fabrikanlagen mit richtiger vertikaler oder horizontaler Anordnung der einander folgenden Teilarbeiten. Aber auch die Idee des „Kompendiösen" fällt unter dieses Prinzip; sie erfüllt sich z. B. im leichten Motor, der daraufhin „glatt" sich einfügt in das System des wirklich flugfähigen Apparats. Auch alle Probleme der richtigen Raumverteilung, z. B. in Bauten, ordnen sich hier ein. Es gilt überhaupt von diesen Prinzipien, daß sie eine Richtschnur nicht bloß für den „Betrieb", sondern auch für den „Bau" darbieten. Mit diesen zwei Ausdrücken, beide richtig gemeint, lassen sich die zwei charakteristischen Einheitsformen aller Arbeit auseinanderhalten (ohne daß man dabei übersehen müßte, wie von diesen Arbeitssynthesen jede analytisch wieder auf die andere zurückführt, kein Betrieb ohne Bau, kein Bau ohne Betrieb möglich ist.) So blicken wir z. B. gleich nach dem nächsten Prinzip durch die Erwägung vor, daß ein und dasselbe Dach nicht bloß mehreren Räumen zugleich, sondern auch mehreren Stockwerken zugleich den notwendigen Abschluß nach oben gewährt. Was hier bei einer „baulichen" Anordnung zur Geltung kommt, ist in der ganzen Reihe

fünftens: das Prinzip des bündigen Vollzugs. Hier lautet das Motto: „In einem Griff!" Eine Reihe bekannter Beispiele stellt sich dazu sofort ein: so die Zündhölzer, die nicht einzeln, sondern gleich bündelweise geschnitten und in die Zündmasse eingetaucht werden; die Holzpferdchen hausindustrieller Provenienz, die aus einem gedrehten Ring von entsprechendem Querschnitt abgespalten werden; die Schraubenmuttern, die aus einem mehrkantig gewalzten und dann gebohrten Stab über seine ganze Länge hin quer geschnitten werden. Sie sehen übrigens, um „bündig" verfahren zu können, wird gelegentlich der ganze Prozeß umgewandelt: das Schnitzen wandelt sich in ein bündig vollziehbares Drehen, das Zufeilen ebenso in ein Walzen. In solchen Fällen wird nicht schlechthin aus vielen Handgriffen einer, der vielmalig notwendige Prozeß wird dann nicht einfach „unifiziert", wie bei den Zündhölzern, sondern die bündige Gestaltung verwirklicht sich in einem höheren, verwickelteren Sinne, einer „Integration" der Prozesse zu vergleichen. Als ein wahrhaft klassisches Beispiel hierfür erscheint mir der Umsatz des mühsamen Flechtens in das wunderbare Spiel von Kette und Einschuß, ins Weben. Woraus nebenbei hervorgeht, daß auch schon die nur-empirische Technik — es handelt sich ja um den uralten Handwebstuhl — häufig einen sehr glücklichen Instinkt der Wirtschaftlichkeit bekundet hat.

Sechstens endlich, als kräftiger Schlußpunkt: das Prinzip des wuchtigen Vollzugs. Es handelt sich da unverkennbar um die Konzentration der Arbeitsleistung, womit übrigens mehr die Idee einer Zusammenfassung des vorher zerstreuten Aufwandes anklingt, im Geiste des Spruches: „Mit vereinten Kräften!" Das Prinzip geht jedoch nicht minder auf eine direkte Steigerung des Aufwandes aus, auch da in der Voraussicht, daß der Erfolg rascher steigt als der Aufwand. Somit handelt es sich recht eigentlich um das Mutterprinzip des Großbetriebs, und dies sagt wohl genug für dieses Prinzip und seine Tragweite.

Im Grunde genommen gehen aber diese Prinzipien insgesamt in keiner anderen Richtung. Mehr oder minder gilt es von allen, daß sie den Großbetrieb und die Massenfabrikation voraussetzen, um dann erst voll in Wirkung zu treten. Nun sind aber mit diesen Prinzipien zugleich die wirtschaftlichen Richtlinien des technischen Fortschrittes gezogen. An der Hand dieser Prinzipien ließe sich daher zeigen, und etwas sachlicher wohl und eindringlicher, als es sonst geschieht, wie innig die wirtschaftliche Entwicklung zum Großbetrieb mit dem technischen Fortschritt und seiner Richtung auf die Massenfabrikation zusammenhängt; so daß also jene „kapitalistische" Tendenz der Entwicklung schon tief im Wesen der modernen Technik angelegt ist. Für die Nationalökonomie ist es noch von besonderem Interesse, daß man erst aus diesen Prinzipien so recht lernt, warum Arbeitsteilung, warum Verwendung von Maschinen den Sacherfolg der Arbeit, also den Produktionserfolg, so mächtig steigern. Handelt es sich doch ausdrücklich um die Prinzipien der höchsten Produktivität.

Für derlei Erwägungen ist aber hier nicht der Platz, um sie weiter zu verfolgen. Ich habe Ihnen die Reihe dieser Prinzipien ohnehin bloß in der Absicht vorgeführt, von dem Bilderbuch in Beispielen, das meiner These zur Illustration dienen könnte, wenigstens ein Inhaltsverzeichnis zu geben. Dennoch glaube ich, aus diesen Prinzipien heraus, von denen sich die technische Arbeit instinktiv leiten läßt, wird der wirtschaftliche Charakter dieser Arbeit klarer und überzeugender zu Ihnen gesprochen haben, als es früher der Fall war, auf den Eindruck einer bloßen Schlußfolge hin.

X.

Gestatten Sie mir schließlich noch ein Wort zu den bedeutsamen Fragen, die sich für unsere Zeit mit Ihrem Berufe als Techniker verknüpfen. Ich bekenne mich da zu einer Ansicht, die sich jedem aufdrängen muß, der in ähnlicher Weise versucht, die Verhältnisse um uns vom Standpunkt einer Theorie des Handelns aus zu betrachten und zu würdigen.

Was sich soeben dem Gebaren der technischen Arbeit ablauschen ließ, soweit Technik und Wirtschaft ineinander greifen, das sind, im Grunde besehen, die Prinzipien eines rationellen Handelns überhaupt. Willst du erfolgreich handeln — so ergeht daraus die Lehre — dann mußt du mit höchster Ausnutzung des Gebotenen vorgehen, du mußt dein Handeln sachgerecht, wohlvorbereitet, stetig, bündig, glatt und wuchtig vollziehen. Nun malt sich in diesen Forderungen gewiß ein einseitiges Ideal des Handelns, denn alle seine ethischen und moralischen Qualitäten bleiben dabei ganz in der Schwebe. Aber ich sehe nicht ein, weshalb etwa ein rationelles und darum erfolgsicheres Handeln weniger vereinbar mit jenen Qualitäten sein müßte, als ein schwaches und lahmes. Jedenfalls wäre ein solches Handeln, unter den sonst gleichen Umständen, ein Handeln von besonderen Vorzügen. Alle diese Vorzüge sind aber in hohem Grade dem Handeln eigen, das von der technischen Arbeit geformt, von ihr also geistig getragen wird. Ein Handeln liegt damit vor, das zufolge seiner einen „ratio" ebenso sicher seines Zieles und ebenso weitblickend ist, als es dank der anderen „ratio" kräftig in seinem Erfolge ist. Und nun die geistigen Träger dieses hochwertigen Handelns, die Techniker — sollten die auf ewig dazu verdammt sein, im schließlich doch engen Bereich der industriellen Arbeit zu wirken, um auch da bloß die Rolle eines Generalstabs ohne Laufbahn und Einfluß zu spielen? Freilich wären erst mancherlei Voraussetzungen nachzuholen, gerade auch aufseiten der Techniker selber. Aber wie beinahe selbstverständlich, wie naturgemäß erscheint zum mindesten die Erfüllung der einen Vorbedingung, nach allem, was hier zu sagen war: die bessere wirtschaftliche Schulung des Technikers! Sind aber diese Vorbedingungen einst erfüllt, dann wohl auch die Zeichen; dann wird sich das Bedürfnis ganz von selber und elementar durchsetzen, daß die Fähigkeit zu einem so zielsicheren und erfolgkräftigen Handeln auch Dingen zugute komme, die eben doch noch bedeutsamer sind als die Lösung der konstruktiven Aufgaben: auch der Führung nämlich, in Wirtschaft, Volk und Staat!

GPSR Compliance
The European Union's (EU) General Product Safety Regulation (GPSR) is a set
of rules that requires consumer products to be safe and our obligations to
ensure this.

If you have any concerns about our products, you can contact us on

ProductSafety@springernature.com

In case Publisher is established outside the EU, the EU authorized
representative is:

Springer Nature Customer Service Center GmbH
Europaplatz 3
69115 Heidelberg, Germany